Naturführer für Kinder

Braun-weiße Vorderflügel verdecken die hellorange-farbenen Hinterflügel

Der Schmetterling rollt seinen Rüssel aus, um Nektar zu trinken.

Bärenspinner

Falsche „Augen" sollen Räuber verwirren.

Die Flügel sehen zwar zart aus, tatsächlich sind sie aber sehr kräftig.

Diese hungrige Raupe frisst ein Blatt.

Schmetterlinge flattern umeinander herum, um einen Partner zu finden.

Das Grün der Raupe ist an die Farbe der Blätter angepasst.

Der Nacht-falter schlägt sehr schnell mit den Flügeln, um sich warm zu halten.

Naturführer für Kinder

Schmetterlinge

John Feltwell

In der Reihe „Naturführer für Kinder" sind außerdem erschienen:
Bäume, Blumen, Insekten, Meeresküste, Muscheln,
Steine und Mineralien, Vögel, Wetter

London, New York, Melbourne, München und Delhi

Bibliografische Information Der Deutschen Bibliothek
Die Deutsche Bibliothek verzeichnet diese Publikation
in der Deutschen Nationalbibliografie;
detaillierte bibliografische Daten sind im Internet
über http://dnb.ddb.de abrufbar.

Titel der englischen Originalausgabe:
Eyewitness Explorers: Butterflies and Moths

© Dorling Kindersley Limited, London, 1993
Ein Unternehmen der Penguin-Gruppe

© der deutschsprachigen Ausgabe by
Dorling Kindersley Verlag GmbH, München, 2009
Alle deutschsprachigen Rechte vorbehalten

Übersetzung Eva Weyandt
Fachliche Beratung Iris Kunz

ISBN 978-3-8310-1402-6

Printed and bound in China

Besuchen Sie uns im Internet
www.dorlingkindersley.de

Inhalt

Was sind Schmetterlinge?

Tagfalter und Nachtfalter sind beides Schmetterlinge.
Sie leben in Parks, Gärten und überall, wo es wilde
Blumen gibt. Bunt blühende Blumen ziehen Tagfalter an.
Du kannst sie beobachten, wenn sie den Nektar trinken.
Abends schwärmen Nachtfalter um
Straßenlaternen und andere
Lichtquellen herum.

Wunderschöne Schmetterlinge
Wie viele verschiedene Farben hat
ein Schmetterlingsflügel? Sieh
auch auf der Unterseite nach,
oft sind die Farben dort ganz
anders. Einen Schwalben-
schwanz erkennst du an
den leuchtend gelb- und
schwarz gefleckten
Flügeln.

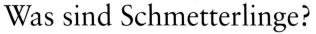

*Schwalben-
schwänze
mögen
die Blüten
der Distel.*

*Die
langen
Zipfel an
seinen hin-
teren Flügeln
haben dem
Schwalbenschwanz
seinen Namen
gegeben.*

*Rote und
blaue falsche
„Augen" verwirren
mögliche Angreifer.*

Nachtschwärmer

Gewöhnlich fliegen Nachtfalter
in der Nacht. Du kannst sie beobachten, wenn sie sich tagsüber
auf Mauern, Zäunen und Baumstämmen ausruhen. Nachtfalter
haben meist gedeckte Farben,
doch dieser Braune Bär ist
ungewöhnlich bunt.

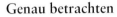

*Die Hinterflügel sind rot
und schwarz. Dadurch ist
der Braune Bär leicht zu
erkennen.*

Genau betrachten

Durch ein Vergrößerungs-
glas kannst du dir Schmetterlinge und ihre Jungen
(Raupen) besser ansehen.
Wenn du eine Raupe von
ihrem Blatt nimmst, benutze
einen Pinsel, damit du sie
nicht mit deinen Fingern
verletzt.

*Lebende Raupen fin-
dest du an der Unter-
seite von Blättern.*

*Nimm einen Notizblock und
Buntstifte, um festzuhalten,
was du siehst.*

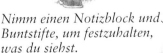

Mache dir Notizen

Mache dir kleine Skizzen, wenn
du dich mit Schmetterlingen
beschäftigst. Male zuerst den
Umriss, dann die Farben und
die verschiedenen Muster.
Schreibe auf, wo und wann du
die Skizze gemacht hast und
alles, wodurch du den Schmetterling bestimmen kannst.

Tagfalter oder Nachtfalter?

Zwar kriechen sie nicht wie Ameisen und Käfer, dennoch sind Schmetterlinge Insekten. Sie bilden die Gruppe der Lepidoptera, was so viel heißt wie „geschuppter Flügel". Die meisten Tagfalter sind bunt, die Nachtfalter weniger. Nachtfalter haben meist dicke, haarige Körper und fedrige Fühler. Die Fühler der Tagfalter sind lang und dünn.

Körperteile

Wie alle Insekten haben Schmetterlinge drei Beinpaare und einen dreigeteilten Körper – Kopf, Brust und Hinterleib. Sie haben auch zwei Paar große Flügel, ein Fühlerpaar und Augen.

Die Fühlerspitzen eines Tagfalters laufen keulenförmig zu.

Auge

Kopf

Brust

Die Flügel von Schmetterlingen sind mit vielen Schuppen bedeckt, die ihnen ihre Farbe geben.

Hinterleib

Schlafend auf einem Blatt

Die meisten Nachtfalter sind klein, haben kurze Flügel und einen gedrungenen Körper. Wenn sie schlafen, legen sie ihre Flügel oft übereinander, sodass die Vorderflügel die Hinterflügel überdecken.

Kannst du die y-förmige Zeichnung auf den Flügeln der Gammaeule erkennen?

Vorderflügel

Hinterflügel

Ausruhen

Ein Tagfalter, der sich wie dieser Schwalbenschwanz ausruht, klappt seine großen Flügel über seinem Körper zusammen. Achte an warmen Sommertagen auf Tagfalter in dieser Position.

Die Adern verstärken die Flügel wie die Streben einen Drachen.

In Form und Farbe sind Schmetterlinge an ihre natürliche Umgebung angepasst.

Aufwärmen

Bevor Schmetterlinge starten können, müssen sie sich aufwärmen. Tagfalter nehmen ein Sonnenbad, Nachtfalter schwirren auf der Stelle, um ihre Flugmuskeln zu erwärmen.

Wunderbare Flügel

Die Flügel von Schmetterlingen sind mit Schuppen bedeckt. Viele tausend winzige Schuppen greifen ganz fein übereinander und geben den Flügeln ihre Farbe. Durch die Farbe der Flügel schreckt der Schmetterling Räuber ab oder lockt einen Partner an.

Flügel aus Spitze
Die Flügel einiger Tagfalter sind an der Oberseite glatt und braun. Aber die Unterseite hat ein wunderschönes Spitzenmuster.

Achte auf diese Nachtfalter. Sie sitzen gern auf Weiden und Pappeln.

Wenn der Nachtfalter diesen knallroten Streifen zeigt, kann er einen Räuber lange genug verwirren, um ihm zu entkommen.

Aufblitzende Farben
Wenn man es in Ruhe lässt, fällt das Rote Ordensband in seiner Umgebung gar nicht auf. Aber wenn Gefahr droht, zeigt es eine hellrote Warnfarbe auf den Hinterflügeln.

Das falsche „Auge" besteht aus Kreisen mit verschiedenfarbigen Schuppen.

Jedes Mal, wenn der Falter mit den Flügeln schlägt, werden viele hundert Schuppen vom Wind fortgetragen.

Schuppendusche

Wenn ein Schmetterling mit den Flügeln schlägt, fallen Schuppen herunter. Im Alter verliert das Insekt seine prächtigen Farben, die ihm auch Schutz bieten.

Wenn du dir einen Flügel genau ansiehst, kannst du die Schuppen gut erkennen.

Vier Augen

Viele Schmetterlinge senden mit ihren Flügeln Signale aus. Das Tagpfauenauge hat vier große, runde falsche „Augen", die Vögel und Eidechsen erschrecken sollen. Diese „Augen" bestehen aus vielen tausend feinen Schuppen.

Die farbigen Schuppen verblassen im Sonnenschein. Am Ende eines Sommers ist der Schmetterling nicht mehr so bunt.

13

Bastle dir einen Schmetterlingsdrachen

Die Flügel von Schmetterlingen sind sehr dünn und zerbrechlich – aber doch sehr stabil. Ein feines Netz von Adern stützt sie wie die Streben eines Drachens. Du kannst dir selbst einen Schmetterlingsdrachen basteln. Dafür brauchst du Papier, Schere, Kleber, Strohhalme, Filzstifte und eine Schnur.

Chinesische Drachen
Viele chinesische Tagfalter haben große, bunte Flügel. Drachenhersteller haben sie vor vielen tausend Jahren als Muster benutzt.

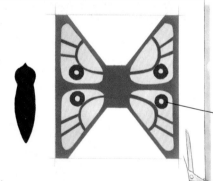

1. Male Flügel und Körper des Schmetterlings auf ein Stück Papier. Mit den Filzstiften kannst du das bunte Muster der Flügel malen. Wenn du Seidenpapier verwendest, siehst du es von beiden Seiten.

Die Flügel sollten eine Spannweite und eine Länge von jeweils 15 cm haben. Der Körper sollte 8 cm lang sein.

Schneide von der Schnur zwei Stücke von jeweils 3 cm für die Fühler ab.

2. Schneide Flügel und Körper vorsichtig aus (die Flügel müssen in der Mitte verbunden sein). Klebe den Körper in die Mitte der Flügel und die Fühler an den Kopf.

Halte den Körper fest, bis er trocken ist.

3. Lege ein Stück Schnur (etwa einen halben Meter lang) lose über die Flügel.
Lege zwei Strohhalme darüber und klebe sie an den Enden fest, sodass sie ein X bilden.

4. Befestige die Schnur mit einem Knoten an den Strohhalmen.

Drachenfliegen

Jetzt kannst du deinen „Drachen" fliegen lassen. Du brauchst nur die Schnur festzuhalten und loszulaufen.

Das Muster der Adern

An dem Muster der Adern in den Flügeln kann man Schmetterlinge bestimmen. Die Adern verstärken den Flügel und halten ihn in der richtigen Flugposition.

Hier kannst du sehen, wie die Adern im Flügel dieses Tagfalters verlaufen.

Viele Nachtfalter haben lange Vorderflügel – so können sie besser gleiten.

Flattern und Gleiten

Je nach der Form ihrer Flügel haben Schmetterlinge einen unterschiedlichen Flugstil. Mit langen, schmalen Flügeln fliegen sie meist schnell und gerade. Mit breiten Flügeln flattern sie mehr. Manche Schmetterlinge lassen sich auch von Luftströmen tragen. Einige Arten können bis zu 600 Flügelschläge in der Minute machen oder mehr als 48 Kilometer in der Stunde zurücklegen!

Leichte Landung
Ein Tagfalter hält seine Flügel meist wie einen Fallschirm ausgebreitet, bevor er sanft auf seinen Beinen landet.

Das Weibchen schlägt schnell mit den Flügeln, um dem Männchen zu entkommen.

Wenn das Männchen seine Flügel hebt, drücken diese die Luft nach hinten. Der Schmetterling bewegt sich vorwärts.

Doppeltes Looping
Wenn du einmal an einer Waldlichtung Schmetterlinge siehst, die umeinander herumfliegen, handelt es sich vielleicht um ein Kaisermantelpärchen. Das Männchen fliegt unter das Weibchen, damit sein Duft von ihren Fühlern aufgenommen werden kann. Dieser Duft soll das Weibchen zur Paarung ermuntern.

Schneller Flug

Die Flügel dieses Nachtfalters sehen ähnlich aus wie die Tragflächen eines Düsenjets. Sie sind lang und schmal und nach hinten gerichtet. Der Totenkopfschwärmer kann sehr schnell fliegen.

Der nächste Flügelschlag bringt das Männchen wieder unter das Weibchen. Er wiederholt das etwa viermal.

Mit dem Flügelschlag nach unten bewegt sich der Schmetterling aufwärts.

Die Schmetterlinge tun sich nichts während des Kampfes. Wenn er vorbei ist, kehrt der erste Schmetterling meist an seinen Platz zurück.

Nach einer Weile gibt der Eindringling auf und fliegt weg, um ein anderes sonniges Fleckchen zu suchen.

Der Kampf ums Licht

Dieser Laubfalter nimmt gern ein Sonnenbad auf dem Waldboden. Wenn ein anderer Schmetterling versucht, ihn von diesem Platz zu vertreiben, fliegen die beiden einige Male gegeneinander. Der Kampf dauert nicht lange. Derjenige, der zuerst da war, gewinnt in der Regel.

Augen und Sehvermögen

Schmetterlinge haben nicht nur zwei Augen, sondern viele tausend! Jedes große Auge besteht aus vielen kleinen Augen. Man spricht von einem zusammengesetzten Auge. Jedes kleine Auge sieht genau das, was vor ihm ist – und wenn das Insekt etwas anschaut, sieht es das gleich tausendfach.

Jedes Auge achtet auf Gefahr.

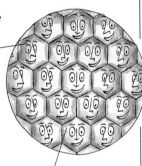

So sieht dich ein Insekt durch einige seiner Augen.

Winzige Augen

Die Einzelaugen nennt man „Ommatidien". Jedes Auge vermittelt ein kleines Bild. Das Gehirn des Insekts setzt diese Bilder zusammen.

Riesige Augen

Die großen, zusammengesetzten Augen ermöglichen es dem Insekt, nach allen Seiten zu sehen. Deshalb sind Insekten auch so schwer zu fangen.

Jedes kleine Ommatidium hat eine transparente Oberfläche, die Licht durchlässt.

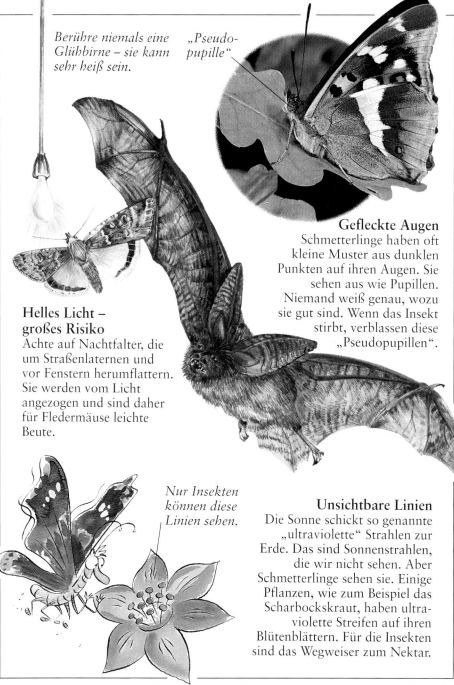

Berühre niemals eine Glühbirne – sie kann sehr heiß sein.

„Pseudo-pupille"

Gefleckte Augen

Schmetterlinge haben oft kleine Muster aus dunklen Punkten auf ihren Augen. Sie sehen aus wie Pupillen. Niemand weiß genau, wozu sie gut sind. Wenn das Insekt stirbt, verblassen diese „Pseudopupillen".

Helles Licht – großes Risiko

Achte auf Nachtfalter, die um Straßenlaternen und vor Fenstern herumflattern. Sie werden vom Licht angezogen und sind daher für Fledermäuse leichte Beute.

Nur Insekten können diese Linien sehen.

Unsichtbare Linien

Die Sonne schickt so genannte „ultraviolette" Strahlen zur Erde. Das sind Sonnenstrahlen, die wir nicht sehen. Aber Schmetterlinge sehen sie. Einige Pflanzen, wie zum Beispiel das Scharbockskraut, haben ultra-violette Streifen auf ihren Blütenblättern. Für die Insekten sind das Wegweiser zum Nektar.

Riechen und Saugen

Schmetterlinge haben einen erstaunlichen Geruchssinn.
Ihre Fühler nehmen Gerüche auf, manchmal über eine
Entfernung von bis zu drei Kilometern. Die meisten
Schmetterlinge haben einen langen Saugrüssel. Damit
saugen sie Nektar und andere Flüssigkeiten.
Beobachte sie einmal, wenn sie auf Blüten
sitzen und Nektar trinken.

Riech-organe

Schmetterlinge brauchen große Fühler, um
Blumen und Artgenossen
aufzufinden. Jeder Fühler hat
viele tausend Öffnungen, um
die Gerüche aufzunehmen.

*Wie
eine
Uhrfeder
rollt sich
der Rüssel
ein, wenn
er nicht
gebraucht
wird.*

Langer Strohhalm

Der Rüssel des
Schmetterlings funktioniert
wie ein Strohhalm. Das Tier
muss ihn zuerst ausrollen, um den
Nektar in den Blüten zu erreichen.

Die Fühler sind in Segmente gegliedert.

Trinken

Schmetterlinge trinken an allen möglichen Orten. Du kannst sie an einer Pfütze beobachten, bei Ausscheidungen von Tieren oder im Schlamm. Dieser Schmetterling trinkt süßen Saft von einem Baumstamm.

Nachtfalter anlocken

Zuckergeruch lockt Nachtfalter an. Du kannst das ausprobieren, wenn du einen Baumstamm mit einer Zuckerlösung bestreichst. Nimm für dein Experiment Sirup oder Honig, mit etwas Wasser gemischt.

1. Streiche an einem Sommerabend in der Dämmerung mit einem Pinsel diese Masse auf den Baumstamm.

2. Sieh mit einer Taschenlampe alle halbe Stunde nach, ob Nachtfalter da sind. Auch Ameisen und Käfer werden kommen.

Extra langer Rüssel

Der Rüssel dieses Schwärmers ist unglaublich lang, länger als sein Körper. Doch er passt genau in die Blüte dieser Blume.

Versteckter Nektar

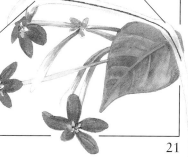

Der Wissenschaftler Charles Darwin vermutete, es müsse für diesen langen Rüssel eine passende Blüte geben – und er hatte Recht.

Die Beine

Wie allen Insekten haben Schmetterlinge drei Beinpaare, die an der Brust entspringen. Jedes Bein hat vier Glieder. So können sie sich leicht bewegen. Schmetterlinge brauchen ihre Beine zum Laufen und zum Landen auf Blättern und Blüten. Wenn sie gelandet sind, schmecken sie mit ihren Füßen die Blätter.

Achte auf diesen Nachtfalter, der tagsüber auf Baumstämmen sitzt.

Wenn der Nachtfalter sich ausruht, verhält er sich vollkommen still, damit die Vögel ihn für ein Blatt halten.

Muskulöser Schenkel (Femur)

Gelenk

Spitze Stacheln
Dieses Abendpfauenauge hat unten an seinen Beinen winzige, nach hinten gerichtete Stacheln. Damit verteidigt es sich.

Beinschale
Achte auf die drei Beinpaare vorne am Körper einer Raupe. Sie werden einmal die Beine des Schmetterlings. Beim ausgewachsenen Falter liegen die Beinmuskeln in einer festen Schale, dem „Außenskelett". Mit den Klauen an seinen Füßen hält er sich an Zweigen fest.

An der Schiene (Tibia) befinden sich Haare und Stacheln.

Glückliche Landung
Nachtfalter landen in der Regel auf allen sechs Beinen. Etwa die Hälfte aller Tagfalter landet auf nur vier Beinen. Das vordere Beinpaar dient zum Putzen der Antennen.

Die Vorderbeine sehen aus wie kleine Bürsten.

Seine vier Beine sind ausgestreckt zur Landung.

Dieser Mohrenfalter hat sechs Beine, aber nur vier sind so kräftig, daß er darauf landen kann.

Sauber halten
Nachtfalter müssen ihre Fühler in gutem Zustand halten, damit sie Gerüche wahrnehmen können. Dieser Nachtfalter reinigt seine Fühler mit den Beinen. Jeder Fühler sieht wie ein Fächer aus. Die Blütenpollen bleiben darin hängen, wenn der Falter Nektar trinkt. Die steifen Haare an den Beinen arbeiten wie ein Kamm, der die Pollen abstreift.

Geschmackstest
Viele Schmetterlinge schmecken mit ihren Fußspitzen. Sie brauchen die Pflanze nur wenige Sekunden zu berühren, um sie zu erkennen. Wenn das Blatt den Test besteht, legen die Weibchen ihre Eier darauf ab.

Paarung

Hast du schon einmal gesehen, wenn Schmetterlinge in Kreisen umeinander herumfliegen? An bestimmten Körpergerüchen (Pheromone) erkennen sie einen möglichen Partner. Wenn der Geruch passt, paaren sie sich. Die Partnersuche nennt man Werbung.

In heißen Ländern sieht man Schmetterlinge oft im Schlamm baden.

Die Pheromone entströmen kleinen Duftschuppen auf den Flügeln.

Im Schlamm wühlen
Männliche Schmetterlinge trinken gern Wasser an Flussufern. Es enthält viele Salze, die sie brauchen, um bestimmte Duftstoffe für die Partnersuche zu entwickeln.

Einige männliche Nachtfalter haben lange, fedrige Fühler. Sie können ein Weibchen riechen, das bis zu fünf Kilometer weit weg ist!

Hier bin ich
Männliche Nachtfalter setzen Düfte frei, indem sie Haarpinsel aufrichten, die Pheromone in die Luft abgeben. Die Weibchen nehmen diesen Geruch auf.

Der männliche Schmetterling hat zwei Zangen, mit denen er das Hinterteil des Weibchens umklammert.

Vereinigung
Diese Schmetterlinge paaren sich. Etwa eine halbe Stunde lang verharren sie in dieser Stellung, in Sträuchern versteckt. Danach fliegt das Männchen weg und das Weibchen legt Eier.

Die Flügel dieses Weibchens haben besondere Muster und Farben, um Männchen anzulocken.

Tanz am Himmel
Achte auf Schmetterlinge, die an einem warmen Sommertag umeinander herumtanzen. Der Liebestanz kann mehr als eine Stunde dauern.

Alles über Eier

Die Eier von Schmetterlingen haben alle möglichen Formen und Größen. Sie sind die erste Stufe im Leben eines Insekts. Das Weibchen legt seine Eier auf oder in die Nähe der Pflanze, von der sich die Raupe ernähren wird, wenn sie schlüpft. Man nennt sie Futterpflanze.

Der Kreislauf des Lebens
Schmetterlinge durchlaufen während ihres Lebens vier Stadien. Aus den Eiern schlüpfen Raupen. Wenn diese ausgewachsen sind, verwandeln sie sich in Puppen und schließlich zu ausgewachsenen Insekten. Diese Verwandlung nennt man „Metamorphose".

Eierlegen
Dieses Kometenfalter-Weibchen klebt seine Eier an den Stängel, damit sie nicht herunterfallen. Manchmal bildet es spezielle Haare, die es über die Eier legt, um sie vor Ameisen zu schützen.

Das Weibchen krümmt sein Hinterteil, um jedes Ei richtig zu platzieren.

„Eierpflanze"
Dieser afrikanische Nachtfalter klebt seine Eier rund um einen Zweig. Andere Insekten und Spinnen sollen glauben, dass sie Teile der Pflanze sind.

Ei-Merkmale
Einige Schmetterlinge legen mehr als tausend Eier auf einmal. Doch der Admiral legt seine Eier einzeln auf die Blätter von Brennnesseln. Ein Ei des Admirals kannst du an den sieben Rippen erkennen.

Aus diesen kleinen Eiern schlüpfen bald winzige Raupen, die das Blatt anfressen.

Eierjagd
Achte auf Eier an Blättern, Zweigen und Knospen. Sie sitzen gewöhnlich an der Unterseite der Blätter und ihre Farbe stimmt mit der des Blattes überein.

Fallende Eier
Einige Schmetterlingsarten lassen ihre Eier einfach ins Gras fallen. Sie bleiben am Gras kleben. Glücklicherweise mögen die Raupen Gras!

Dieses Schachbrett-Weibchen fliegt dicht über dem Gras, damit die Eier, die es aus dem Hinterleib abgibt, an den Halmen hängen bleiben.

Die Geburt einer Raupe

Das Ausschlüpfen aus dem Ei ist für die Raupe eine gefährliche Angelegenheit. Sie muss sich sofort nach dem Schlüpfen vor hungrigen Räubern verbergen. Wenn sie sich versteckt hat, beginnt sie ununterbrochen zu fressen. Nach ungefähr einem Monat verwandelt sie sich in einen Schmetterling.

Eier auf Brennnesseln
Achte in der Nähe von Brennnesseln auf den Admiral. Er legt seine Eier einzeln auf die Brennnesselblätter.

Ich bin bereit
Zuerst ist das hellgrüne Ei mit einer Flüssigkeit gefüllt, die aussieht wie Suppe. Darin wächst die kleine Raupe heran. Nach etwa sieben Tagen wird das Ei dunkel – die Raupe ist bereit zum Schlüpfen.

Im Ei ist der Körper der Raupe zusammengerollt.

Durch die gerippte Oberfläche behält das Ei seine Form.

Das Öffnen des Eis
Die winzige Raupe hat bereits kräftige Kiefer. Sie nagt einen Kreis um das obere Ende des Eis und ruht sich dann etwas aus. Du kannst den haarigen, schwarzen Kopf sehen, der aus dem Ei herausschaut.

Die Eihülle ist nun durchsichtig. Kannst du die Rippen erkennen, die das Ei stützen?

Das Blatt enthält Mineralien, die die Raupe zum Wachsen braucht.

Hinaus ins Freie
Nachdem die Raupe so lange eingeschlossen war, schält sie sich wie ein Schachtelmännchen aus dem Ei. Im Freien streckt sie sich zum ersten Mal.

Grüner Vorhang
Sobald die Raupe geschlüpft ist, zieht sie das Blatt mit Seidenfäden zusammen. So ist sie vor Räubern gut versteckt. Nun beginnt die Raupe mit ihrer ersten Brennnesselmahlzeit.

Zeltende Raupe
Achte im Garten auf ein Zelt aus Blättern – vielleicht findest du die Raupe eines Admirals darin. Die Raupe verbringt ihr ganzes Leben im Zelt. Während dieser Zeit häutet sie sich viermal.

Kluge Raupen

Raupen sind die Lieblingsspeise von vielen Vögeln, Eidechsen und Säugetieren. Deshalb haben die Raupen viele Methoden entwickelt, sich ihre Feinde vom Leib zu halten. Einige tarnen sich als Schlange, andere zeigen riesige Augen. Manche Raupen verströmen einen üblen Geruch, um die Feinde zu vertreiben.

Kleine Schlange?
Die Raupe bläht den vorderen Teil ihres Körpers auf und zeigt falsche „Augen". Vögel sollen sie für eine Schlange halten.

„Stehaufmännchen"
Wenn sie gestört werden, richten diese Raupen alle gleichzeitig ihren Körper steil auf. Dadurch erschrecken sie Vögel und Eidechsen.

Raupe mit Hörnern
Wenn du gedacht hast, nur große Tiere hätten Hörner, dann schau genau hin – die Kopfhörner und die langen, stacheligen Haare dieser amerikanischen Raupe schrecken Räuber vor einem Angriff ab.

Mit ihren einfachen Augen an der Seite des Kopfes kann die Raupe hell und dunkel unterscheiden.

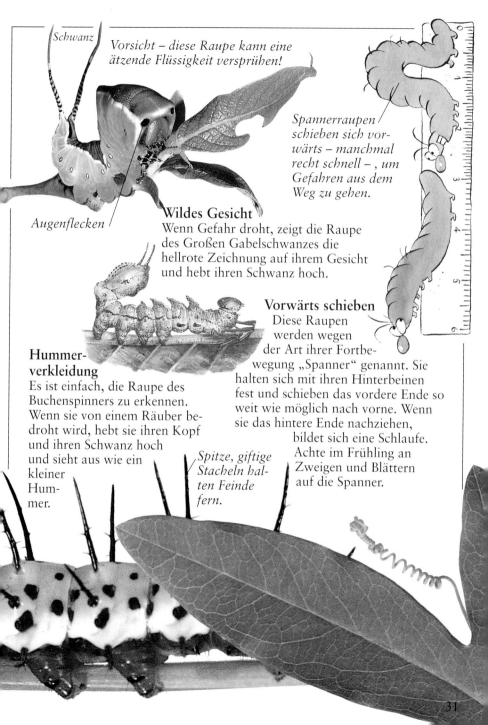

Schwanz

Vorsicht – diese Raupe kann eine ätzende Flüssigkeit versprühen!

Spannerraupen schieben sich vorwärts – manchmal recht schnell –, um Gefahren aus dem Weg zu gehen.

Augenflecken

Wildes Gesicht
Wenn Gefahr droht, zeigt die Raupe des Großen Gabelschwanzes die hellrote Zeichnung auf ihrem Gesicht und hebt ihren Schwanz hoch.

Vorwärts schieben
Diese Raupen werden wegen der Art ihrer Fortbewegung „Spanner" genannt. Sie halten sich mit ihren Hinterbeinen fest und schieben das vordere Ende so weit wie möglich nach vorne. Wenn sie das hintere Ende nachziehen, bildet sich eine Schlaufe. Achte im Frühling an Zweigen und Blättern auf die Spanner.

Hummerverkleidung
Es ist einfach, die Raupe des Buchenspinners zu erkennen. Wenn sie von einem Räuber bedroht wird, hebt sie ihren Kopf und ihren Schwanz hoch und sieht aus wie ein kleiner Hummer.

Spitze, giftige Stacheln halten Feinde fern.

Tarnung

Raupen können sich fast unsichtbar machen. Sie nehmen die Farbe der Blätter an, die sie fressen, oder sie sehen aus wie Zweige oder Vogelkot. So verstecken sie sich vor ihren Feinden. Man sagt, sie tarnen sich.

Verschwinden
Siehst du die Linien am Körper der Raupe? Sie dienen zur Tarnung, damit sie in Ruhe fressen kann.

Achte im Sommer auf die Raupen von Schwärmern. Sie fressen Blätter.

Ja oder Nein?
Diese glänzend schwarze Raupe des Schwalbenschwanzes sieht genauso aus wie Vogelkot. Stelle dir vor, du wärst ein hungriger Vogel – würdest du das Risiko eingehen?

Tarnung als Zweig
Die Raupen der Birken-
spanner sehen aus wie
Zweige. Ihnen fehlen
einige Bauch-Beinpaare.

Klein und groß
Die giftigen Raupen des Großen
Kohlweißlings brauchen sich nicht zu
verstecken. Ihre Feinde wissen, dass
sie sich besser von ihnen fern halten.
Die schmackhaften Raupen des
Kleinen Kohlweißlings müssen sich
tarnen, um am Leben zu bleiben.

*Zuerst fressen die
Raupen des Kleinen Kohl-
weißlings unbemerkt in
der Mitte des Kohlkopfes.*

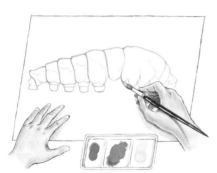

Farben mischen
Raupen sind beim Schlüpfen
nicht grün – sie werden es erst
später! Sie mischen das Gelb der
Blätter mit ihrer eigenen blauen
Farbe, die sie für die Verdauung
brauchen.

*Zeichne den Umriss einer Raupe und
male sie mit Tusche gelb aus. Füge
nun blaue Farbe hinzu. Welche Farbe
hat deine Raupe jetzt?*

Unsichtbar
Die Raupen dieses
tropischen Falters
leben eng beiei-
nander am Stängel
von Bananenblät-
tern. Sie sind so fast
unsichtbar – und
sicher vor Räubern.

*Die
Raupen
liegen in Längs-
richtung. So fallen sie
auf dem Stängel weniger auf.*

33

Die Kiefer einer Raupe sind so geformt, dass sie Blätter zerschneiden können.

Fressmaschinen

Hast du schon einmal beobachtet, wie eine Raupe frisst? Sobald sie aus dem Ei geschlüpft ist, fängt sie an zu fressen und hört nicht wieder auf. Daher ist es nicht erstaunlich, dass sie in wenigen Wochen hundertmal so viel wiegt wie beim Schlüpfen.

Die Mahlzeit beginnt
Die Raupe nimmt das Blatt zwischen ihre Beine und beginnt zu fressen. Raupen haben immer Hunger. Je mehr eine Raupe frisst, desto schneller wächst sie.

Die Raupe tarnt sich als Blatt, um ihre Feinde zu täuschen.

Die Raupe streckt ihren Kopf aus und frisst zu ihrem Körper hin.

Auf halbem Weg
Wenn die Raupe ein Blatt aufgefressen hat, wandert sie zum nächsten. Sie fängt bei den weicheren, saftigeren Teilen an.

Fertig
Die Raupe hat nun fast ihr drittes Blatt gefressen. Sie wird sich einem anderen Trieb zuwenden, falls auf diesem nicht mehr genügend Blätter sind.

Nichts ist sicher
Raupen finden ihre Nahrung nicht nur im Garten. Die Raupen einiger Nachtfalter fressen Holz, manche Baumwolle, andere Hausstaub. Einige fressen sogar Federn!

Baue dir dein eigenes „Raupen-Restaurant"
Du kannst Raupen beim Fressen beobachten, wenn du einem niedrigen Zweig ihrer Futterpflanze einen „Ärmel" überziehst. Du brauchst ein Stück Musselin oder ein Netz, Nadel, Faden, Seil und Schere.

Bitte einen Erwachsenen um Hilfe, wenn du die Schere benutzt.

1. Nähe die langen Enden eines rechteckigen Stückes Musselin zusammen. Es entsteht eine Röhre.

2. Suche einen Zweig, auf dem Raupen sitzen, und stülpe den Stoff darüber. Binde ihn an beiden Enden zu.

3. Verfolge mit, wie viel die Raupen jeden Tag fressen und wie sie wachsen. Setze sie auf einen anderen Zweig ihrer Futterpflanze, wenn der erste abgefressen ist.

Häutung

Schmetterlinge durchlaufen in ihrem Leben vier Stadien. Das dritte ist das Puppenstadium, Chrysalis genannt, in dem sich die Raupe in einen Schmetterling verwandelt. Während die Raupe wächst, häutet sie sich vier- oder fünfmal. Wenn sie genug gefressen hat, häutet sie sich zum letzten Mal und verpuppt sich. In der Puppe verwandelt sich die Raupe in einen Schmetterling.

Kräftige Seide

Die Puppe hängt an einem seidenen Faden. Sie scheint eine leichte Beute für hungrige Tiere zu sein. Aber viele Raupen von Nachtfaltern spinnen einen Kokon (seidene Hülle), um die Puppe zu schützen. Die meisten Räuber können die Hülle nicht durchbrechen.

Wie ein Blatt

Diese Puppe eines C-Falters sieht aus wie ein verschrumpeltes Blatt. Sie hat glänzende, silberne Punkte, die im Licht funkeln und den Eindruck vermitteln, die Puppe sei leer.

Die Puppe hängt ganz still, doch in ihrem Inneren vollzieht sich eine große Wandlung.

Sei vorsichtig, wenn du eine Puppe berührst. Sie ist sehr weich und zerbrechlich.

Puppen suchen

Puppen kannst du auf Blättern, Zweigen oder Baumrinden finden. Manchmal liegen sie aber auch unter der Erde. Die Raupen klettern dann den Baum hinunter und graben sich eine kleine Höhle, in der sie sich verpuppen.

Der seidene Faden, Gürtel genannt, ist um den Körper der Raupe gewickelt.

Wenn die Haut der Puppe mit Luft in Berührung kommt, wird sie hart.

Die Raupe schrumpft, wenn die Puppe unter ihrer Haut entsteht.

Ablösung der Haut
Wenn die Raupe eines Schwalbenschwanzes einen Ort zum Verpuppen gefunden hat, hält sie sich mit ihren Hinterbeinen fest und spinnt einen seidenen Faden, den „Gürtel". Dieser Faden hält sie fest, während sie einige Stunden darauf wartet, dass ihre Haut sich ablöst.

Leere Haut einer Raupe

Die Hinterbeine ergreifen den Zweig

Neue Haut – alte Haut
Die Raupe muss sich aus ihrer alten Haut herauswinden. Nachdem sich die neue Haut der Puppe gebildet hat, fällt die Haut der Raupe zu Boden.

Kannst du die Flügel sehen? Sie entwickeln sich im Inneren der Puppe.

Endgültige Form
Die Puppe des Schwalbenschwanzes kann grün oder braun sein, je nach ihrer Umgebung. Sie sieht aus wie ein Blatt an einem Zweig. Auf der nächsten Seite erfährst du, wie der Schmetterling aus der Puppe schlüpft.

Das fertige Insekt

Die letzte Stufe in der Metamorphose eines Schmetterlings ist sehr interessant. Das Insekt, das aus der Puppe herauskommt, sieht ganz anders aus als die Raupe, die sich verpuppt hat. Eine vollständige Verwandlung hat stattgefunden.

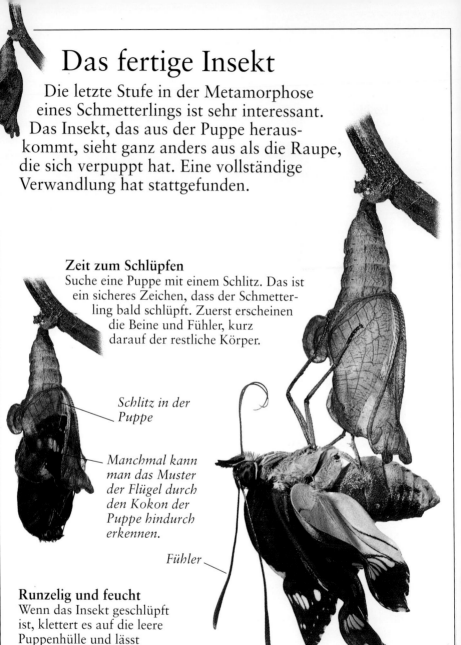

Zeit zum Schlüpfen
Suche eine Puppe mit einem Schlitz. Das ist ein sicheres Zeichen, dass der Schmetterling bald schlüpft. Zuerst erscheinen die Beine und Fühler, kurz darauf der restliche Körper.

Schlitz in der Puppe

Manchmal kann man das Muster der Flügel durch den Kokon der Puppe hindurch erkennen.

Fühler

Runzelig und feucht
Wenn das Insekt geschlüpft ist, klettert es auf die leere Puppenhülle und lässt sich mit den Flügeln nach unten trocknen.

Flügel sind runzelig und feucht.

Pumpen

Der Schmetterling pumpt Blut in die Adern seiner weichen Flügel. Dadurch entfalten sie sich zu ihrer vollen Größe.

Bereit zum Abflug

Ungefähr 30 Minuten später haben die Flügel ihre volle Größe erreicht. Doch sie müssen noch fest werden. Das dauert etwa eine Stunde. Dann kann der Schmetterling losfliegen und Nahrung suchen. Schmetterlinge fressen keine Blätter. Viele lieben süßen Blütennektar.

Wenn die Flügel ihre volle Größe erreicht haben, öffnet und schließt sie der Schmetterling, damit sie ganz trocken werden.

Roter Regen

Während der Schmetterling trocknet, tropft überschüssige Flüssigkeit von seinem Körper. Bei manchen Arten, wie zum Beispiel beim Distelfalter, ist diese Flüssigkeit rot. Wenn mehrere Schmetterlinge gleichzeitig schlüpfen, sieht es aus, als regne es Blut!

39

Seidenkokons

Auch die Raupen der Nachtfalter verbringen das dritte Stadium ihrer Metamorphose als Puppe. Viele spinnen sich einen Kokon, in dem sie sich verpuppen. Seidenraupen – das sind die Raupen der Maulbeerspinner – spinnen einen sehr feinen seidenen Faden, aus dem sie ihren Kokon machen. Wir weben aus diesem Faden Kleider.

Nachdem sie geschlüpft sind, leben die Maulbeerspinner nur wenige Wochen. In dieser Zeit paaren sie sich und das Weibchen legt Eier auf ihren Kokon.

Bequemes Plätzchen
Die Seidenraupe sucht sich einen sicheren, bequemen Platz, wo sie ihren Kokon spinnt. Das dauert bis zu zwei Tage. Der Seidenfaden kann bis zu 800 Meter lang sein, wenn der Kokon fertig ist.

Der Faden der Seidenraupe kommt aus Drüsen unter ihrem Kopf.

Wenn die Seidenraupe weiterspinnt, wird der Kokon dicker.

Wählerische Esser
Seidenraupen sind sehr wählerisch. Sie fressen nur die Blätter des Maulbeerbaums. Eher würden sie verhungern, als etwas anderes zu fressen!

Der Kokon ist jetzt dick genug, um die Seidenraupe zu schützen, wenn sie sich in eine Puppe verwandelt.

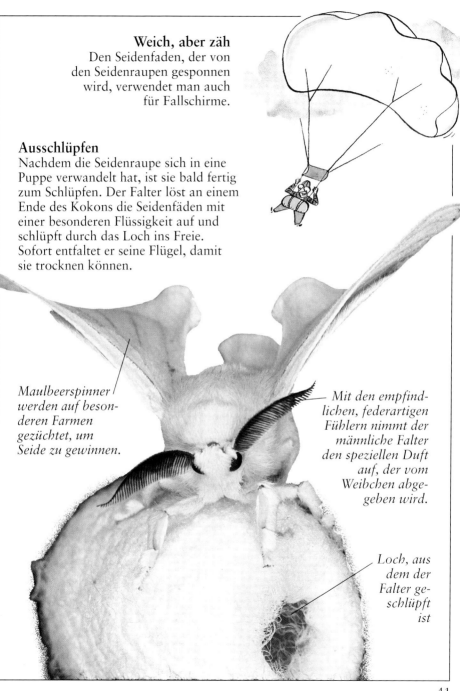

Weich, aber zäh
Den Seidenfaden, der von den Seidenraupen gesponnen wird, verwendet man auch für Fallschirme.

Ausschlüpfen
Nachdem die Seidenraupe sich in eine Puppe verwandelt hat, ist sie bald fertig zum Schlüpfen. Der Falter löst an einem Ende des Kokons die Seidenfäden mit einer besonderen Flüssigkeit auf und schlüpft durch das Loch ins Freie. Sofort entfaltet er seine Flügel, damit sie trocknen können.

Maulbeerspinner werden auf besonderen Farmen gezüchtet, um Seide zu gewinnen.

Mit den empfindlichen, federartigen Fühlern nimmt der männliche Falter den speziellen Duft auf, der vom Weibchen abgegeben wird.

Loch, aus dem der Falter geschlüpft ist

41

Lass mich in Ruhe!

Schmetterlinge machen ihren Feinden mit Nachdruck klar, dass sie nicht gefressen werden wollen. Hungrige Vögel, Spinnen und andere Tiere werden oft durch ihre aggressive Zeichnung verscheucht. Auch zeigen die leuchtenden Farben und Muster vieler Schmetterlinge an, dass sie keine schmackhafte Beute sind.

Ich hab dich im Auge!

Dieser Furcht erregend aussehende südamerikanische Tagfalter erschreckt seine Feinde durch ein großes „Auge" auf seinem Flügel. Dadurch wirkt er wie eine wütende Eule.

Siehst du das falsche „Auge"?

Diesen großen Schmetterling kann man leicht mit einem Vogel verwechseln.

Fürchterlicher Gestank

Bei Gefahr stellt sich die weiße Tigermotte tot. Falls das nicht hilft, sondert sie eine stinkende, gelbe Flüssigkeit ab.

Gelbe Tropfen sollen zeigen, dass der Nachtfalter giftig ist.

Erkenne den Unterschied!

Einige harmlose Schmetterlinge sehen aus wie giftige. Die Zeichnung und die lebhaften Farben des Monarchfalters signalisieren den Vögeln, dass er giftig ist. Dieser Scheckenfalter imitiert die Zeichnung des Monarchfalters, um hungrige Vögel zu täuschen.

Weiße Punkte auf dem Kopf des Monarchfalters zeigen an, dass der Schmetterling nicht gut schmeckt.

Dieser Scheckenfalter hat eine schwarze Linie auf seinem Hinterflügel. Welche Unterschiede kannst du sonst noch erkennen?

Pflanzengifte

Die Raupe des Monarchfalters speichert das Gift ihrer Futterpflanze, der Curaçao-Seidenpflanze, in ihrem Körper. Dieses Gift geht während der Metamorphose auf den Schmetterling über.

Der Raupe schadet das Gift der Futterpflanze nicht.

Überrumpelt

Manchmal retten auch falsche „Augen" Schmetterlinge nicht vor Räubern. Dieser Schmetterling war so damit beschäftigt, Nektar zu trinken, dass er die Spinne nicht bemerkte.

Falsches „Auge"

Gut getarnt

Nicht alle Schmetterlinge haben grelle Warnfarben. Die
Farben der meisten Nachtfalter – und einiger Tagfalter –
sind sogar recht düster. Diese Insekten haben einen
anderen Weg gefunden, um sich zu schützen. Sie sind
wie die Raupen in Form, Zeichnung und Farbe an ihr
Lebensumfeld angepasst.

*Muster und Farbe der Flügel
des Nachtfalters sind von
der Baumrinde nicht
zu unterscheiden.*

Rinde als Tarnung
Vögel können diesen kleinen
Nachtfalter aus dem tropischen
Regenwald nur schwer ausmachen.
Er ist auf der Rinde ziemlich sicher –
solange er sich still verhält.

Meister der Verkleidung

Kannst du den Schmetterling ausmachen, der auf den Blättern sitzt? Dieser Indische Blattschmetterling passt sich in Form und Farbe vollkommen dem Blatt an. Für einen Vogel ist es wirklich schwierig, ihn zu finden.

Die Adern in den Flügeln des Schmetterlings sehen aus wie die Blattadern.

Nachtfalter-Detektiv

Getarnte Nachtfalter sind schwer zu finden, doch mit ein wenig Detektivarbeit gelingt es dir vielleicht. Suche sie an Baumstämmen, Zäunen oder Pfosten, aber störe sie nicht.

Abgebrochene Zweige?

Diese Mondvögel paaren sich. Sie sehen aus wie der abgebrochene Zweig eines Baums. Solange sie sich nicht bewegen, sind sie vor ihren Feinden sicher.

Die helle Zeichnung an den Flügelspitzen sieht aus wie das abgebrochene Ende eines Zweigs.

Dem Wetter entkommen

An kalten Tagen würdest du manchmal vielleicht am liebsten im Bett bleiben oder irgendwo hingehen, wo es warm und sonnig ist. Auch Schmetterlinge versuchen der Kälte zu entfliehen. Einige überwintern – sie suchen sich dafür einen geschützten Ort. Andere fliegen in großen Gruppen fort. Man nennt das „Wanderung".

Nordamerika

Mexiko

Die Pfeile zeigen die Route des Monarchfalters in Amerika.

Süd-amerika

Monarchfalter haben große Flügel. Deshalb können sie weite Strecken zurücklegen, ohne müde zu werden.

Die Monarchfalter machen bei Blüten Halt, um sich an süßem Nektar zu stärken.

Auf der Suche nach Sonne
Monarchfalter fliegen weiter als alle anderen Schmetterlinge. In Amerika fliegen sie in Gruppen von vielen tausenden nach Süden, um den Winter in Mexiko und Südkalifornien zu verbringen. Im Frühling kommen sie zurück.

Viele Millionen Monarchfalter

Ziehende Monarchfalter ruhen sich auf Kiefern im Gebirge aus. Manchmal sind sie tagelang mit Schnee bedeckt. Wenn du so lange draußen wärst, würdest du sterben. Doch eine Substanz im Blut des Schmetterlings verhindert, dass er erfriert.

Massen von Schmetterlingen bedecken den Baum mehrere Monate lang.

Der europäische Distelfalter fliegt über die Alpen.

Dauer-Flieger

Der Distelfalter gehört zu den zähesten Schmetterlingen der Welt. Er kann bis zu tausend Kilometer weit fliegen.

Guter Rastplatz

In Australien lassen sich „wandernde" Bogong-Eulen beobachten. Manchmal ruhen sie sich auf ihrer Wanderung nach Süden auf Gebäuden aus. Die Falter verbringen die heißen, trockenen Monate in Höhlen in den australischen Alpen.

Grau und Schwarz an der Unterseite tarnt die überwinternden Schmetterlinge.

Störe niemals überwinternde Schmetterlinge – sie könnten sterben!

Einfach nur herumhängen

Pfauenaugen überwintern mit den Flügeln nach unten. Achte auf sie an Gartenhäuschen, in hohlen Bäumen und sogar in Häusern. Bis zum Frühling bewegen sie sich nicht und fressen auch nicht.

Im Garten

Mit seinen vielen bunten und duften-
den Blumen lockt der Garten bei Tag
und Nacht viele Schmetterlinge an.
Im Sommer findest du Raupen beim
Fressen und Nachtfalter, die sich in
der Baumrinde verstecken. Im Winter
suchen einige dieser Insekten Schutz
im Haus – doch an warmen Tagen
kommen sie wieder heraus.

Ausgefranste Flügel
Der C-Falter sieht mit
seinen ausgefransten
Flügeln aus wie ein
verwelktes Blatt.

*Der
Falter legt
seine Eier
gern auf die
Blätter des
Weißdorns.*

Gäste im Garten
Der Gelbspanner ist ein häufiger Gast im
Garten. Tagsüber versteckt er sich, doch manchmal kommt er heraus, um ein neues Versteck zu
suchen. Abends flattert er um die Lichter herum.

Schmetterlinge anlocken

Du kannst Schmetterlinge in deinen Garten locken, wenn du Pflanzen setzt, die Raupen gern fressen. Pflanze einige Brennnesseln an einen sonnigen Ort. Wie viele verschiedene Schmetterlinge kannst du beobachten?

Trage Handschuhe, wenn du Brennnesseln pflanzt, damit du dich nicht verbrennst!

Schnelle Fresser

Die Raupen des Mittleren Weinschwärmers fressen in ihrem kurzen Leben vor allem nachts viele Blätter und Blüten. Gartenpflanzen wie Fuchsien fressen sie auch tagsüber. Wenn sie gestört werden, blähen sie den vorderen Teil ihres Körpers wie einen Ballon auf.

Blatt-Gerippe

Das Tagpfauenauge, der Admiral und der C-Falter legen ihre Eier auf Brennnesselblätter. Die Raupen fressen so viel, dass von der Pflanze nur noch das Geripe übrig bleibt.

Der Admiral im Sonnenschein

Weiß gepunkteter „Dickkopf"

Wenn in deinem Garten viele bunte Blumen blühen, kannst du vielleicht den Kommafalter herumflattern sehen. Achte auf die weißen Punkte an der Unterseite des Flügels.

Wenn es davonfliegt, zeigt das Tagpfauenauge seine falschen „Augen".

Die Fühler sind vorgestreckt und die Flügel nach hinten gelegt, wenn diese Falter sich ausruhen.

Im Wald

Im Wald kann man Schmetterlinge sehr gut beobachten. Tagfalter lieben sonnige Lichtungen oder sitzen auf Zweigen und Ästen. Nachtfalter verstecken sich in den Blättern auf dem Waldboden. Achte auf Raupen an Blättern und Pflanzen – einige hungrige Raupen richten viel Schaden an, wenn sie die Blätter von den Bäumen fressen.

Der Kaiser-mantel nimmt mit geöffneten Flügeln ein Sonnenbad.

Oben im Baum
Achte an heißen Sommertagen in der Nähe von Eichen auf den Eichenzipfelfalter und den Kaisermantel. Sie sitzen gern in der Baumkrone, nehmen aber auch mit einem Sonnenbad auf Eichenblättern an Wegen und Lichtungen vorlieb.

Die glänzenden Flügel des Eichen-zipfelfalters schillern in der Sonne.

Spaß in der Sonne
Wie die meisten Tagfalter liebt der Gemeine Scheckenfalter die Sonne. Bei schlechtem Wetter verkriecht er sich, doch wenn es heiß ist, kommt er heraus, um ein Sonnenbad zu nehmen. Seine Eier legt er auf Wegerich ab.

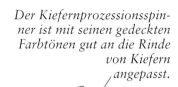

Der Kiefernprozessionsspinner ist mit seinen gedeckten Farbtönen gut an die Rinde von Kiefern angepasst.

Welcher ist der längste Faden, den du bei einem Frühlingsspaziergang im Wald finden kannst?

Am seidenen Faden hängen

Die Raupe des Eichenwicklers lebt in einem aufgerollten Eichenblatt. Wenn Ameisen sie bedrohen, lässt sie sich aus dem Blatt fallen und hängt an dem seidenen Faden, den sie gesponnen hat. Wenn die Gefahr vorüber ist, klettert die Raupe an dem Faden wieder nach oben.

Die Raupen der Kiefernprozessionsspinner können in Kiefernwäldern großen Schaden anrichten.

Folgt dem Anführer

Die Raupen der Kiefernprozessionsspinner ziehen in einer Reihe los, um Nahrung zu suchen. Die erste spinnt einen Faden, dem die anderen folgen. Nachdem sie gefressen haben, reihen sie sich wieder ein und folgen dem Faden zurück zum Nest.

Am Rand

Dieser Scheckenfalter lebt in verschiedenen Ländern, zum Beispiel in Australien und Nordamerika. Er liebt sonnige Wälder und Lichtungen und trinkt den Nektar von wilden Blüten und Gartenblumen wie Gartenröschen und Zinnien.

Im Gebirge

Wenn du im Sommer über eine Bergwiese gehst, findest du dort viele Schmetterlinge. Doch im Gebirge ändert sich das Wetter schnell. Die Insekten müssen von einer Minute zur anderen gegen Regen, Schneetreiben oder starken Wind ankämpfen.

Oben und unten
Die meisten Räuber lassen den giftigen Monarchfalter in Ruhe. Deshalb findest du ihn sowohl im Gebirge als auch in der Ebene.

Fettige Flügel
Der kleine Apollo ist besonders für das Leben im Gebirge ausgestattet. Durch seine fettigen Flügel kann er auch Frost und plötzliches Schneetreiben überleben.

Schwarze Punkte fangen die Wärme der Sonne ein.

Dicke Haare halten das Insekt warm.

Der kleine Apollo lebt in den Gebirgen Europas und Asiens.

Achte auf die drei Zipfel am hinteren Flügel.

Wenn der Wind stark bläst, hält sich dieser Dukatenfalter fest.

Gebirgsschönheit

Dieser schöne Ritterfalter lebt in den Bergen von Indien und Thailand. Die Zipfel am Schwanz des Insekts sind sehr wichtig. Räuber sehen sie als erstes, picken daran und lassen die wichtigeren Teile in Ruhe.

Zäher Falter

Es gibt keine zäheren Falter als die Widderchen. Dieser rotschwarze Falter lebt in den Bergen Zentralamerikas, Asiens und Europas. Er schmeckt so schlecht, dass Vögel ihn sofort wieder ausspucken. Daher vermehrt er sich gut.

Warm und windig

Viele Berginsekten überleben den kalten Winter, indem sie tagsüber in der Sonne sitzen. Doch ein starker Wind kann einen Sonnentag zu einem Albtraum werden lassen. Dieser Schmetterling klammert sich an einem Felsen fest.

Im Regenwald

An keinem anderen Ort der Welt gibt es so viele bunte Schmetterlinge wie im tropischen Regenwald. Wegen des vielen Regens und der großen Pflanzenvielfalt ist der Regenwald ein ideales Zuhause für Insekten.

Die Flügel schillern in der Sonne.

Du kannst erkennen, dass dies wohl kein Tagfalter ist – die Fühlerenden sind nicht verdickt.

Tagfalter oder Nachtfalter?
Er sieht aus wie ein Tagfalter und fliegt auch am Tag, aber er ist ein Nachtfalter. Dieser Urania-Falter lebt in den Regenwäldern des Amazonas und in Südamerika.

Dieser tropische Weißling steckt seinen Rüssel in den feuchten Sand und sucht nach Wasser.

Wassersucher
Männliche Schmetterlinge trinken viel salzhaltiges Wasser. Sie brauchen diese Salze, um ihre Duftstoffe für die Partnersuche zu bilden. Alle paar Sekunden spritzen sie überflüssiges Wasser heraus.

Dieser Schmetterling ist durch das zarte Muster seiner Flügel getarnt.

Unsichtbare Flügel

Manche Augenfalter sind sehr schwer zu entdecken. Ihre durchsichtigen Flügel machen sie fast unsichtbar. Auch einige Nachtfalter haben durchsichtige Flügel.

Zweiköpfige Raupe

Im Regenwald lebt eine Raupe, die aussieht, als hätte sie zwei Köpfe. Ihr Hinterteil hat ein Horn und ein Gesicht. Dadurch verwirrt sie Vögel und Eidechsen – sie wissen nie, wo sie angreifen sollen.

Sicherheit in der Gruppe

Viele Raupen des Regenwaldes leben in Gruppen zusammen. Je größer die Gruppe, desto sicherer sind sie. Diese Raupen sind prächtig bunt und haben giftige Stacheln. Räuber lassen sie lieber in Ruhe.

Glänzender Flieger

Dieser glänzende Ritterfalter flattert in Lichtungen des Regenwaldes umher und trinkt gerne süßen Nektar.

In der Wüste

Tagsüber sind in der Wüste nicht viele Schmetterlinge zu sehen. Die meisten suchen Schutz vor der heißen Mittagssonne. Am ehesten kann man sie am Morgen oder am Abend beobachten. Sie halten sich in der Nähe der Wasserlöcher auf, wo Gräser und wilde Blumen wachsen.

Lange Wartezeit
Ein Schmetterling muss warten, bis es regnet, bevor er aus seiner Puppe schlüpfen kann. In der heißen, trockenen Wüste kann das einige Jahre dauern.

Die graubraune Farbe ist eine gute Tarnung im Wüstensand.

Ein übel riechendes Getränk
Wenn Schmetterlinge in den Trockengebieten Afrikas überleben wollen, müssen sie jeden Tag Wasser finden. Dieser afrikanische Heufalter trinkt sogar von den Ausscheidungen der Tiere!

Mit dem verkürzten Saugrüssel kann der Schmetterling auch feste Pflanzen anstechen.

Yucca-Dickkopffalter

Nachdem sie geschlüpft sind, binden die Raupen des Yucca-Dickkopffalters die Blätter der Yuccapalme mit einem Seidenfaden zusammen. So können sie sich später in aller Ruhe durch die Pflanze fressen und ihre Wurzeln anbohren.

Achte auf Raupen, die sich von den Blättern der Yuccapalme ernähren.

Der Hitze entkommen

Auch dieser kleine Bläuling meidet die sengende Mittagssonne der Wüste. Er fliegt nur morgens und abends. Mittags ruht er sich unter einem Stein aus. Dabei verhält er sich sehr still, damit ihn die Hitze nicht erschöpft.

Phantom der Wüste

Wenn die Sonne in der australischen Wüste untergeht, macht sich dieser Wurzelbohrer auf die Suche nach Nahrung und Wasser. Durch seine hellen Farben und langen Flügel sieht er aus wie ein Gespenst.

Die glänzenden Punkte auf den Vorderflügeln reflektieren die Sonne und schrecken Feinde ab.

In der Arktis

Für uns wäre es sehr schwierig, die eisigen Winter, starken Winde und kurzen Sommer der Arktis zu ertragen. Doch einige Schmetterlinge leben das ganze Jahr über dort. Sie sind besonders an dieses Klima angepasst: Ihr Blut gefriert nicht und durch ihre dunklen Farben können sie Wärme sehr schnell aufnehmen.

Kokon in der Kälte
Wenn die Temperaturen unter Null fallen, sind die Puppen in ihren Kokons geschützt.

Sommer-Flieger
Dieser Arktische Weißling fliegt nur, wenn die Sonne scheint. Sobald der Himmel sich bewölkt, sucht er Schutz. In seinem Blut hat er eine besondere Substanz, die verhindert, dass sein Blut gefriert.

Die langen Haare auf dem Körper wärmen den Schmetterling.

Sonnenstrahlen einfangen

Um möglichst viel arktische Sonne zu
bekommen, breitet dieser Mohrenfalter
seine Flügel über einem Felsen aus und
hebt den Körper in die Luft.

*Dunkle Farben und die
Wärme des Felsens halten
den Schmetterling warm.*

Sommerfest

Während des kurzen arktischen
Sommers werden die Blüten von
vielen Tagfaltern besucht. Sie brauchen
den süßen Nektar. Aber sie
müssen aufpassen – viele
hungrige Vögel und
Spinnen warten schon
auf sie.

*Das gesprenkelte
Muster dieses
Perlmuttfalters
tarnt ihn gut.*

Ruhepause auf einem Felsen

Die meisten arktischen
Nachtfalter machen nachts
kurze Flüge von Blume zu
Blume. Tagsüber müssen
sie sich verstecken. Dieser
Nachtfalter verhält sich
vollkommen ruhig. Er
verlässt sich auf seine Tarnfarbe.

Register

Abendpfauenauge

Schwalbenschwanz

*Schmetterling
schlüpft aus
seiner
Puppe.*

Rotes Ordensband

*Raupe des Gabel-
schwanzes*

*Raupe mit
falschem Kopf*

Dank

**Dorling Kindersley
dankt**
Sharon Grant und Wilfrid
Wood für die Hilfe bei der
grafischen Gestaltung.
Michele Lynch für die
redaktionelle Hilfe und
ihre Nachforschungen.
Linda Martin für ihre
redaktionelle Mitarbeit in
der Anfangsphase des
Buches.
Jane Parker für das Register.

Illustrationen
Brian Hargreaves, Nick
Hewetson, Tommy Swahn

Bildnachweise
(o = oben, u = unten,
M = Mitte, l = links,
r = rechts)
Jane Burton: 10.
Matthew Chattle: 14ul.
Steve Gorton: 9ul, 15.
Dave King: 49or.
Kim Taylor: 30–31ulr.
Bruce Coleman Ltd: 51ul;
J. Brackenbury 16ol;
M. Fogdon 55Ml; Jeff Foott
47ol; D. Green 32l; Jan van
de Kam 37o, 37or, 37ul;
L.C. Marigo 33ur; Sandro
Prato 41u; Frieder Suer
52M; John Shaw 52o;
Kim Taylor 27or, 45u;
Peter Ward 31ol, 61.
Oxord Scientific Films:
Mantis Wildlife Films:
25o; Planet Earth: Alan
Barnes 19or; A. Kerstich
30ol; Mary Sheridan: 36u.
Premaphotos: 27o, 44,
45M, 48o, 55or.
Wildlife Matters: 42M.